Sept jours pour une éternité...

Première partie

Espé & Corbeyran
Marc Levy
Sept jours pour une éternité...

Première partie

Les deux puissances qui régissent l'ordre du monde n'ont cessé de
s'affronter depuis la nuit des temps.
Constatant qu'aucune d'elles n'arrive à influencer selon sa volonté le destin
de l'humanité, chacune se reconnaît contrecarrée par l'autre dans
l'achèvement parfait de sa vision du monde.
Constatant en outre que toutes les analyses politiques, économiques et
climatiques tendent à démontrer que la terre tourne à l'enfer.
Constatant enfin que la notion d'humanité diverge radicalement selon le
point de vue de l'un ou de l'autre.
Après d'éternelles discussions, il a été convenu que l'avènement du troisième
millénaire se devait de consacrer une ère nouvelle, libérée de nos
antagonismes. Du nord au sud, de l'ouest à l'est, le temps est venu de
substituer à notre cohabitation forcée un mode opératoire plus efficient.
Afin d'attester la légitimité de celui à qui incombera de régir la terre au
cours du prochain millénaire, nous nous livrerons un combat ultime dont les
termes sont les suivants :
Nous enverrons parmi les hommes celui ou celle que nous considérons
comme le meilleur de nos agents.
Le plus à même d'entraîner l'humanité vers le bien ou vers le mal apportera
la victoire à son camp, prélude à la fusion de nos deux institutions.
Le pouvoir d'administrer le nouveau monde reviendra au vainqueur.

Dieu   *Diable*

Dessin : Espé
Adaptation scénaristique : Corbeyran
D'après l'œuvre de Marc Levy
Couleurs : Domnok

casterman

Un grand merci à Éric et Marc pour leur confiance, à Susanna, Laetitia, Christine et Dominique pour leur professionnalisme et à mes trois trésors, Tom, Lou et Karine.

Espé.

Merci infiniment à Marc Levy pour m'avoir offert son amitié et confié les clés de son univers.
Merci à Sébastien pour avoir accepté de relever le défi.
Merci à Susanna Lea, Laetitia Lehmann et Christine Cam pour leur efficacité et leur gentillesse.

Corbeyran.

www.casterman.com

ISBN 978-2-203-03348-1

1er jour

NEW YORK. HÔTEL HILTON.

LA JOURNÉE AVAIT BIEN COMMENCÉ POUR MOI.

BIEN COMMENCÉ D'ABORD CAR, CAPTIVÉ PAR CE CURIEUX ROMAN QU'UN CLIENT AVAIT DÛ OUBLIER DANS LE TIROIR DE LA TABLE DE NUIT, JE N'AVAIS PAS FERMÉ L'ŒIL. TROP EXCITÉ.

JE L'AVAIS LITTÉRALEMENT DÉVORÉ. DE MÉMOIRE D'ENFER, AUCUNE LECTURE NE M'AVAIT AUTANT RÉGALÉ.

AHAHAH !! QUELLE HISTOIRE ABRACADABRANTE !!

BIP! BIP! BIP! BIP! BIP!

?!

CODE 7 ?!! WAOH! ÇA RIGOLE PAS!

IL EST TEMPS DE FILER ... LE PATRON A BESOIN DE MOI ...

LÈVE-TOI ET MARCHE, MON PETIT LUCAS!

5

AUCUN SOUFFLE D'AIR NE VIENDRAIT CHASSER LA POLLUTION QUI ENVAHISSAIT LE SUD DE MANHATTAN.

CE SERAIT UNE JOURNÉE CANICULAIRE. UN EXCELLENT VECTEUR DE DÉSHYDRATATION, DE BACTÉRIES ET DE CANCERS !

BIEN COMMENCÉ ENSUITE CAR LE SOLEIL - DONT L'INCROYABLE NOCIVITÉ N'EST PLUS À DÉMONTRER - ÉTAIT DÉJÀ TRÈS CHAUD MALGRÉ L'HEURE MATINALE.

ET LA LUMIÈRE FUT !

BIP BIP BIP BIP BIP !!

J'ARRIVE ! J'ARRIVE !

DÉCONNEXION ...

CLIC ...

ÉVACUATION !

BIEN COMMENCÉ ENFIN PUISQUE, D'ICI QUELQUES INSTANTS, IL ME SERAIT DONNÉ D'ASSISTER AU PLUS RÉJOUISSANT SPECTACLE QUI SOIT ...

D'ICI QUELQUES INSTANTS, LES DEUX DERNIERS RIVETS QUI MAINTENAIENT ENCORE CE BALCONNET À SA PLACE HABITUELLE ALLAIENT CÉDER.

D'ICI QUELQUES INSTANTS, LE BALCON ET LA SUPERBE CRÉATURE QUI S'Y ÉTAIT INSTALLÉE POUR PROFITER DU SOLEIL, DÉGRINGOLERAIENT LES TROIS ÉTAGES.

D'ICI QUELQUES INSTANTS, CE CORPS SUBLIME SE RETROUVERAIT INCRUSTÉ DANS LES PAVÉS DU TROTTOIR, TOTALEMENT DISLOQUÉ.

D'ICI QUELQUES INSTANTS, DU SANG S'ÉCOULERAIT DE CES OREILLES ET DE CE NEZ PARFAIT, FIGEANT À TOUT JAMAIS UN MASQUE DE TERREUR SUR CE JOLI MINOIS.

CET INCIDENT ALLAIT CERTAINEMENT COÛTER UN PROCÈS AU GÉRANT DE L'IMMEUBLE. À LA MAIRIE, C'EST SÛR, UN RESPONSABLE TECHNIQUE PERDRAIT SON EMPLOI ...

OUI, VRAIMENT, LA JOURNÉE AVAIT BIEN COMMENCÉ POUR MOI !

OU DU MOINS, ELLE AURAIT PU, SI, À L'INTÉRIEUR DE CET APPARTEMENT COQUET, UN CELLULAIRE OUBLIÉ SUR UNE TABLE NE S'ÉTAIT MIS À SONNER !

BEEP BEEEEP BEEP !

?!!

CET OUBLI FÂCHEUX RUINA MON BON PLAISIR À L'INSTANT OÙ, COMME PRÉVU, L'ASSEMBLAGE MÉTALLIQUE S'ARRACHA DE LA FAÇADE ET DÉGRINGOLA DANS LA RUE.

PAR CHANCE, LE BALCON PERCUTA AU PASSAGE UN LAMPADAIRE QUI S'ABATTIT AVEC VIOLENCE SUR UNE VOITURE QUI PASSAIT PAR LÀ.

New York Shop   Corbi

LE CARAMBOLAGE MONSTRE QUI S'ENSUIVIT COMPENSA QUELQUE PEU LA FRUSTRATION QUE J'ÉPROUVAI À L'ÉGARD DE LA BELLE QUI AVAIT MIRACULEUSEMENT ÉCHAPPÉ À SON EFFROYABLE DESTINÉE.

JE M'ÉLOIGNAI D'UN PAS LÉGER, BERCÉ PAR LE CONCERT DE KLAXONS ET DE SIRÈNES DES POMPIERS.

À L'AÉROPORT DE LAGUARDIA !

MONTEZ !!

VRAIMENT UNE BELLE, UNE TRÈS BELLE JOURNÉE !!

WOOOO

WOOO WOOOO

WOOO

WOOOO

TUUUUT TUUUUUT

?!

SAN FRANCISCO. PORT DE COMMERCE. QUAI 80.

MANCA !!
ARRÊTEZ-LES
!!!

MANCA !
VOUS M'ENTENDEZ ?!
IL FAUT TOUT
ARRÊTER !!

LA VISIBILITÉ EST INFÉRIEURE À HUIT
MÈTRES, MANCA ! EN DESSOUS DE DIX, VOUS
AURIEZ DÉJÀ DÛ SIFFLER L'ARRÊT !

NE RESTEZ PAS
LÀ-DESSOUS, MA
PETITE ...

... VOUS ÊTES DANS UNE
ZONE D'APLOMB ... QUAND
ÇA SE DÉCROCHE, ÇA
NE PARDONNE PAS !

NE M'OBLIGEZ PAS À DRESSER UN
PROCÈS VERBAL, MANCA ! PRENEZ VOTRE
RADIO ET FAITES CESSER LE TRAVAIL !
MAINTENANT !

POUSSEZ-VOUS DE LÀ, VOUS
GÊNEZ LA MANŒUVRE !!

CE N'EST PAS MOI QUI GÊNE,
C'EST LE BROUILLARD !!

9

ÇA FAIT QUATRE MOIS QUE VOUS TRAVAILLEZ ICI, ET LA PRODUCTIVITÉ N'A JAMAIS AUTANT BAISSÉ !!!

QUI VA NOURRIR LES FAMILLES DE MES GARS ? VOUS ?

VOUS N'AVEZ QU'À LES PAYER AUTREMENT, VOS DOCKERS !!!

JE SUIS SÛRE QUE CE SOIR, LEURS ENFANTS SERONT PLUS HEUREUX DE RETROUVER LEUR PÈRE QUE DE TOUCHER LA PRIME D'ASSURANCE DÉCÈS DU SYNDICAT !!

À FORCE DE JOURS CHÔMÉS, CE PORT FINIRA PAR FERMER !!

MANCA... CE N'EST PAS MOI QUI FAIS LA PLUIE ET LE BEAU TEMPS... J'EMPÊCHE JUSTE VOS GARS DE SE TUER DANS UN STUPIDE ACCIDENT...

VOUS POUVEZ ME REGARDER TANT QUE VOUS VOULEZ AVEC VOS YEUX D'ANGE, MAIS JE VOUS PRÉVIENS : À 10 MÈTRES, JE REMETS TOUT EN ROUTE !!

ENTENDU ! EN ATTENDANT, VENEZ, JE VOUS PAIE UN CAFÉ ET DES ŒUFS BROUILLÉS !

LE "FISHER'S DELI" EST L'UNE DES MEILLEURES CANTINES DU PORT. C'EST LÀ QUE SE RETROUVENT LES DOCKERS LES JOURS DE BROUILLARD. LE VENTRE NOUÉ, ILS GRIGNOTENT UN HOT DOG ET SIROTENT UNE BIÈRE DANS L'ESPOIR D'UNE ÉCLAIRCIE QUI SAUVERAIT LEUR JOURNÉE.

10

11

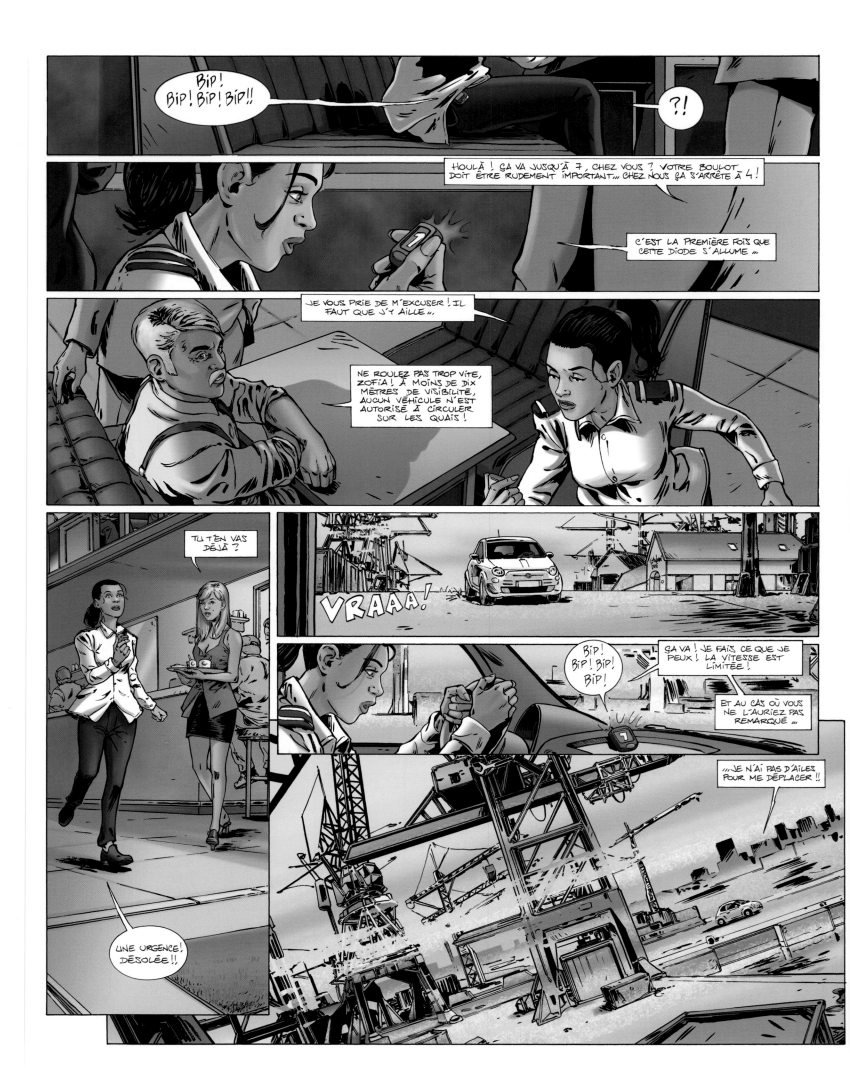

CRAAA!

CRAAA!

...ET VOILÀ LA PLUIE! MANQUAIT PLUS QUE ÇA!

QUEL TEMPS ÉPOUVANTABLE! J'ESPÈRE QUE L'AVION NE VA PAS S'ENFLAMMER!!

AUCUN RISQUE! PROFITEZ PLUTÔT DU SPECTACLE! TOUT LE MONDE N'A PAS LA CHANCE D'ASSISTER À UN ORAGE DE CETTE AMPLITUDE D'AUSSI PRÈS!

...MESDAMES, MESSIEURS, LES MAUVAISES CONDITIONS MÉTÉOROLOGIQUES NOUS EMPÊCHENT DE NOUS POSER POUR LE MOMENT... VEUILLEZ CONSERVER VOS CEINTURES ATTACHÉES...

BIP! BIP! BIP! BIP!

BIP! BIP! BIP! BIP!

MERCI D'ÉTEINDRE VOTRE PAGER, MONSIEUR, L'APPAREIL EST EN APPROCHE...

EH BIEN, QU'IL CESSE DONC D'APPROCHER CE FOUTU CIGARE VOLANT ET QU'IL SE POSE ENFIN! JE N'AI PAS TOUTE LA JOURNÉE!!

...MESDAMES, MESSIEURS, LA FAIBLE QUANTITÉ DE KÉROSÈNE NOUS OBLIGE À ATTERRIR...

...L'ÉQUIPAGE NAVIGANT EST INVITÉ À S'ASSEOIR ET LE CHEF DE CABINE À REJOINDRE LE POSTE DE PILOTAGE...

POURQUOI LA CHEF DE CABINE EST-ELLE CONVOQUÉE?

SANS DOUTE POUR FAIRE UN CANARD DANS LE CAFÉ DU COMMANDANT! VOUS AVEZ PEUR?

PEUR ? NON !! JE SUIS TERRIFIÉE ! IL NE ME RESTE PLUS QU'À PRIER !!

AH NON ! JE VOUS EN PRIE ! UN PEU D'ANGOISSE, C'EST EXCELLENT POUR LA SANTÉ !

L'ADRÉNALINE DÉCAPE LES ARTÈRES, C'EST TRÈS BON POUR LE CŒUR ! VOUS ÊTES EN TRAIN DE GAGNER DEUX ANNÉES DE VIE ...

... ET VU VOTRE ÉTAT GÉNÉRAL, VINGT-QUATRE MOIS D'ABONNEMENT GRATUIT, C'EST TOUJOURS ÇA DE PRIS !

EAST HALL

ET LE POURBOIRE ?!

LES POURBOIRES RÉCOMPENSENT LES MÉRITANTS... VOUS, C'EST UNE CORRECTION QUE VOUS MÉRITEZ !

CLONK !

GRRRR...

FERME-LA CERBÈRE !!

GRRRR...

INSTALLE-TOI PAR ICI... LE PATRON EST OCCUPÉ...

OK...

C'ÉTAIT BIEN LA PEINE DE ME FAIRE SPEEDER !

TAP TAP TAP

AH NON ! PAS À PARIS !! ILS SONT TOUT LE TEMPS EN GRÈVE !! CE SERAIT BEAUCOUP TROP FACILE POUR TOI !!

?!

L'ASIE ET L'AFRIQUE ? PAS QUESTION !

QUOI ? LE TEXAS ? POURQUOI PAS EN ALABAMA, TANT QUE TU Y ES !?

ET QUE PENSERAIS-TU D'ICI, À SAN FRANCISCO ?

ÇA NOUS ÉVITERAIT BIEN DES DÉPLACEMENTS INUTILES ! ET DEPUIS QU'ON SE DISPUTE CE TERRITOIRE, LE PROBLÈME SERAIT RÉGLÉ UNE FOIS POUR TOUTES !!

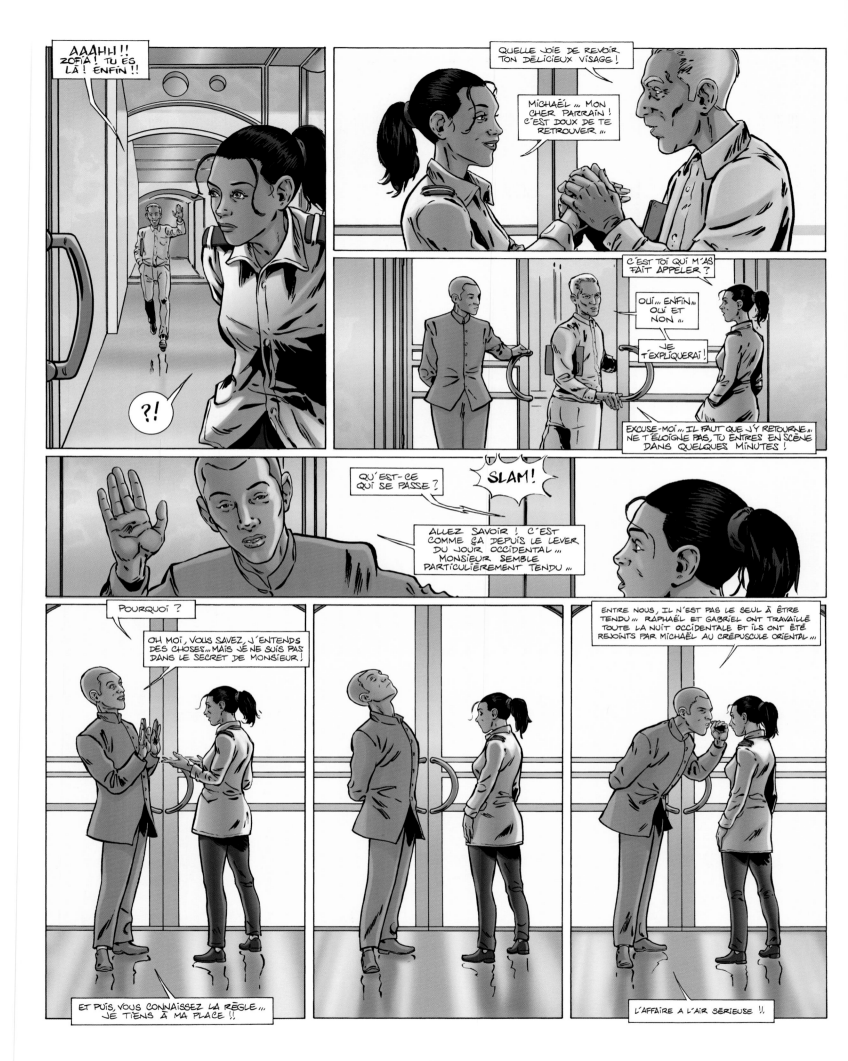

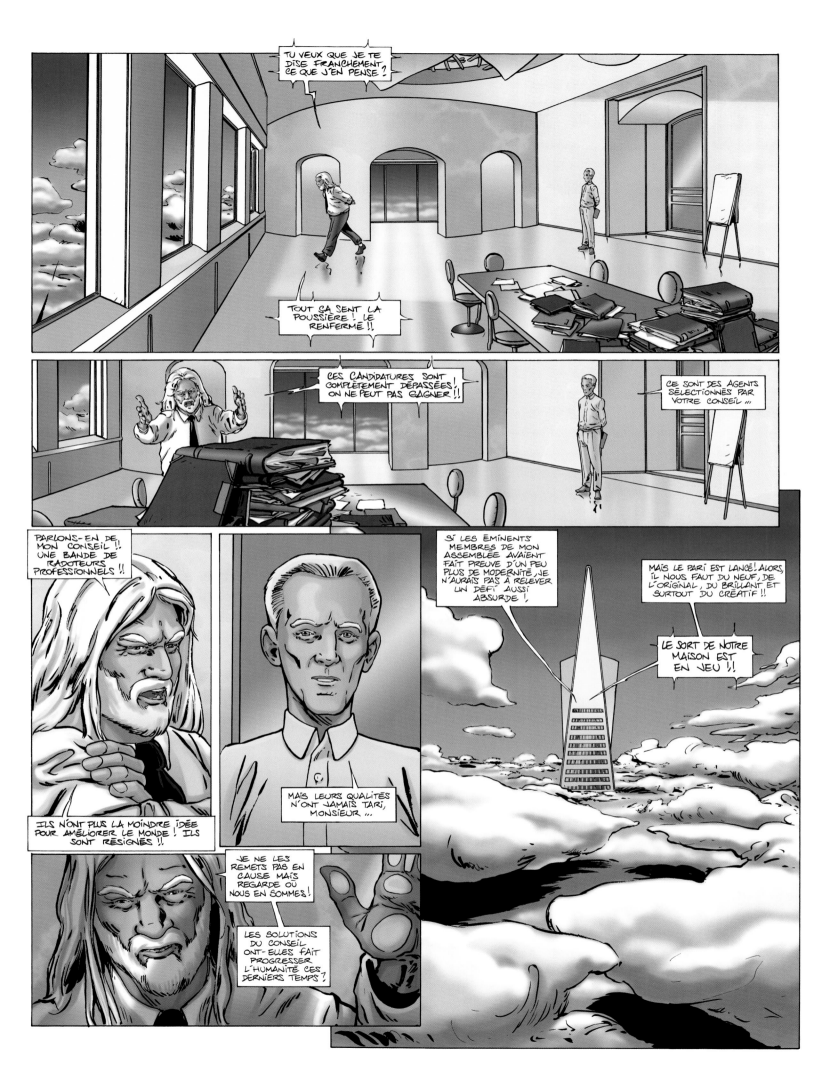

19

À PRÉSENT, MONTRE-MOI CE DOSSIER ...

UN VISAGE ANGÉLIQUE ...

OÙ EST-ELLE ? QUAND PUIS-JE LA VOIR ?

ELLE ATTEND SUR LE PALIER ...

FAIS-LA ENTRER.

ZOFIA !

MONSIEUR VOUDRAIT TE PARLER ...

À ... À MOI ? POURQUOI ?

IL VA TE LE DIRE LUI-MÊME ... MAIS AVANT D'ENTRER, PAR PITIÉ, CRACHE TON CHEWING-GUM !!

MONSIEUR ....

ASSIEDS-TOI, ZOFIA ....

NOUS T'AVONS CONVOQUÉE POUR TE CONFIER UNE MISSION EXTRÊMEMENT DÉLICATE, CONCERNANT L'AFFAIRE LA PLUS IMPORTANTE DE L'AGENCE DEPUIS SA CRÉATION ....

MICHAËL TE FOURNIRA PLUS TARD TOUTES LES INSTRUCTIONS NÉCESSAIRES AU PARFAIT DÉROULEMENT DES OPÉRATIONS DONT TU AURAS LA SEULE RESPONSABILITÉ....

TU AURAS SEPT JOURS POUR RÉUSSIR, ZOFIA .... ET TU N'AURAS PAS DROIT À L'ERREUR !!

FAIS PREUVE D'EFFICACITÉ, DE DISCRÉTION, D'IMAGINATION ET DE TALENT.... IL PARAÎT QUE TU EN AS DE MULTIPLES !

DE .... DE QUOI S'AGIT-IL ?

VOICI LE DOCUMENT OFFICIEL .... TOUT Y EST CLAIREMENT EXPLIQUÉ ....

COMPTE TENU DE LA GRAVITÉ DE L'ENJEU, MICHAËL SERA TON UNIQUE RÉFÉRENT ! ET EN CAS D'INDISPONIBILITÉ DE SA PART, C'EST À MOI QUE TU T'ADRESSERAS PERSONNELLEMENT !

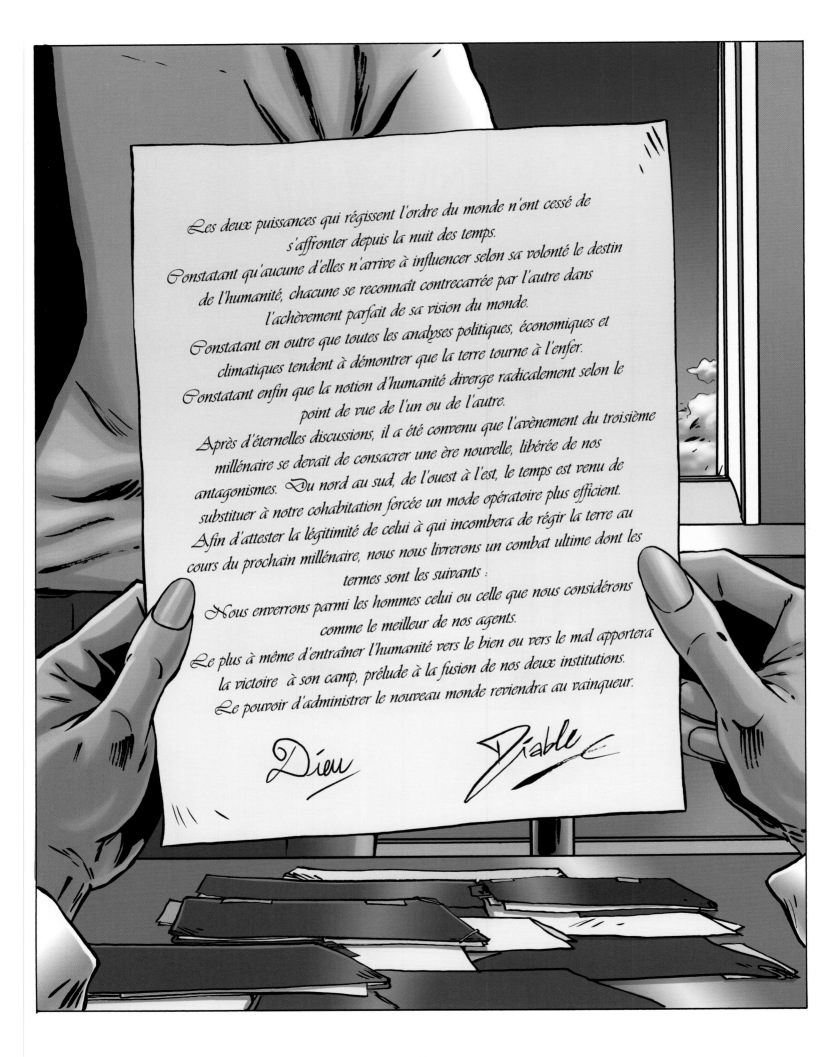

UN DÉFI ?

UN PARI ABSURDE, JE TE L'ACCORDE ... ET UN PEU CONFUS ...

MAIS JE NE PUIS REVENIR DESSUS !

ÇA NE POUVAIT PLUS DURER ... LUCIFER S'OPPOSE DEPUIS TROP LONGTEMPS À CE QUE JE CONFIE LA TERRE À L'HOMME ...

NOTRE RIVALITÉ EST UN FREIN À L'EXPRESSION DE LA NATURE HUMAINE ...

À CET ÉGARD, LE XXᵉ SIÈCLE A ÉTÉ TROP ÉPROUVANT !!

IL FAUT CONSIDÉRER CET ÉCRIT COMME UN ALINÉA À MON DERNIER TESTAMENT

JE VIEILLIS MOI AUSSI ET LE TEMPS M'EST COMPTÉ ...

IL L'A TOUJOURS ÉTÉ, CE FUT MA PREMIÈRE CONCESSION ...

SEPT JOURS POUR UNE ÉTERNITÉ ... JE COMPTE SUR TOI, ZOFIA !!!

MERCI, MONSIEUR ...

DIS-MOI MICHAËL ... CE BOUT DE CAOUT-CHOUC QU'ELLE A COLLÉ SOUS LE BUREAU, IL EST PARFUMÉ À LA FRAISE, N'EST-CE PAS ?

C'EST BIEN DE LA FRAISE, MONSIEUR ... JE SUIS DÉSOLÉ ... JE LUI AVAIS DEMANDÉ DE ...

TU N'Y ES POUR RIEN ...

ENCORE UNE QUESTION ... COMMENT AS-TU SU QUE JE LA CHOISIRAIS ?

PARCE QUE CELA FAIT PLUS DE DEUX MILLE ANS QUE JE TRAVAILLE À VOS CÔTÉS, MONSIEUR ...

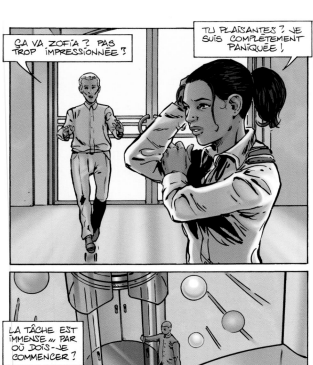

ÇA VA ZOFIA ? PAS TROP IMPRESSIONNÉE ?

TU PLAISANTES ? JE SUIS COMPLÈTEMENT PANIQUÉE !

LA TÂCHE EST IMMENSE ... PAR OÙ DOIS-JE COMMENCER ?

POUR ÊTRE TOUT À FAIT FRANC, TU PARS AVEC UN CERTAIN HANDICAP... VOYONS LES CHOSES EN FACE : LE MAL EST DEVENU UNIVERSEL !

TU JOUES EN DÉFENSE, TON ADVERSAIRE EN ATTAQUE ...

IL TE FAUDRA D'ABORD IDENTIFIER LES FORCES QU'IL LIGUERA CONTRE TOI ...

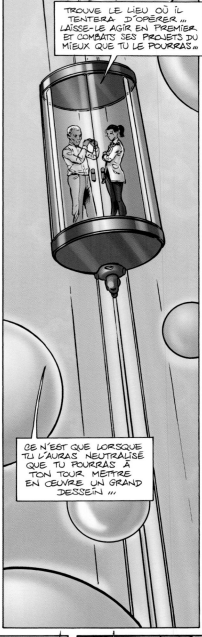

TROUVE LE LIEU OÙ IL TENTERA D'OPÉRER ... LAISSE-LE AGIR EN PREMIER ET COMBATS SES PROJETS DU MIEUX QUE TU LE POURRAS ...

CE N'EST QUE LORSQUE TU L'AURAS NEUTRALISÉ QUE TU POURRAS À TON TOUR METTRE EN ŒUVRE UN GRAND DESSEIN ...

TON SEUL ATOUT EST LA CONNAISSANCE DU TERRAIN ...

COMMENT ÇA ?

IL A ÉTÉ DÉCIDÉ QUE LE DÉFI SE DÉROULERAIT ICI, À SAN FRANCISCO !

NOUS SOMMES PRÊTS !!!

NOUS AUSSI !!!

24

25

FÉLICITATIONS, LUCAS ! TA CANDIDATURE FAIT L'UNANIMITÉ !!

SACHE TOUTEFOIS QUE J'AI PERSONNELLEMENT BEAUCOUP PESÉ DANS LA DÉCISION !

TIENS DONC...

LES COMPLIMENTS, CE N'EST POURTANT PAS VOTRE RAYON !

FAUT CROIRE QUE JE T'AI À LA BONNE ! D'AILLEURS, EN TANT QUE RESPONSABLE DES COMMUNICATIONS INTERNES, C'EST À MOI QUE TU RENDRAS COMPTE DES PROGRÈS DE TA MISSION !

ON VERRA ÇA !

RENDEZ-MOI MA MALLETTE, MAINTENANT !!

LA VOILÀ...

J'Y AI GLISSÉ QUELQUES PASSEPORTS, DIVERSES CARTES DE CRÉDIT, DES DEVISES, DEUX OU TROIS PAINS DE PLASTIQUE AINSI QU'UNE CLÉ ÉLECTRONIQUE UNIVERSELLE...

J'AI PRIS LA LIBERTÉ D'Y FAIRE UN PEU LE MÉNAGE...

J'AI NOTAMMENT RETIRÉ UN OUVRAGE UN PEU SPÉCIAL QUI N'AVAIT PAS VRAIMENT SA PLACE DANS TA PANOPLIE...

TU VOIS CE QUE JE VEUX DIRE ?

QUOI ?! TU AS JETÉ MON ROMAN ?!

DE QUEL DROIT ?

ALLONS... NE T'EMBALLE PAS !... ET RASSURE-TOI... JE NE DIRAI PAS UN MOT AU PRÉSIDENT...

BIEN ENTENDU, IL VA FALLOIR ÊTRE PLUS AIMABLE AVEC MOI À L'AVENIR...

ALORS NE FAIS PAS LE MALIN ET VAS-Y MOLLO SUR LES NOTES DE FRAIS, SINON...

POUR PARACHEVER CETTE JOURNÉE QUI AVAIT SI BIEN COMMENCÉ POUR MOI ET FÊTER DIGNEMENT MA PROMOTION, JE PRIS MES QUARTIERS DANS UNE SUITE SUPÉRIEURE DU FAIRMONT, LE PALACE LE PLUS CHER DE NOB HILL...

JE COMMANDAI UN MAGNUM DE DOM PÉRIGNON, UN SEAU DE CAVIAR AINSI QU'UNE BROUETTE DE PETITS FOURS ET JUBILAI EN IMAGINANT LA TÊTE DE BLAISE LORSQU'IL DÉCOUVRIRAIT LA FACTURE DE MON SÉJOUR.

AFIN DE FAIRE BONNE IMPRESSION SUR MON FUTUR PATRON, JE ME DEVAIS DE FAIRE L'ACQUISITION D'UN VÉHICULE DIGNE DE CE NOM. LE PARKING DU PORT ÉTAIT L'ENDROIT RÊVÉ POUR CE GENRE DE TRANSACTION...

ALORS MON PETIT LUCAS? DE QUOI AS-TU ENVIE?

D'UNE CHRYSLER OU D'UNE BUICK?

... À MOINS QUE TU N'OPTES POUR CETTE SUPERBE CHEVROLET CAMARO CABRIOLET !

VENDU!

WiiiiP

WiiiiP

CLAC!

APRÈS LE PLAISIR, LE TRAVAIL. J'AVAIS DÉCIDÉ DE NE PAS PERDRE UN INSTANT ET DE ME DÉVOUER CORPS ET ÂME -PASSEZ-MOI L'EXPRESSION- À LA MISSION QU'ON M'AVAIT CONFIÉE. POUR COMMENCER, J'AVAIS PRIS RENDEZ-VOUS AVEC L'UN DES PONTES DE L'EMPIRE A&H, L'UNE DES PLUS IMPORTANTES SOCIÉTÉS IMMOBILIÈRES DE L'ÉTAT.

VRAAAOOM !

AH! ZOFIA!

TE VOILÀ ENFIN!

ÇA FAIT DEUX HEURES QUE JE POIREAUTE!

TU NE PEUX PAS T'ACHETER UN PORTABLE COMME TOUT LE MONDE?!

PARDONNE-MOI MATHILDE! J'AI VRAIMENT EU UNE JOURNÉE DE DINGUE!

ET MOI, JE ME TOURNE LES POUCES? ENFIN... PASSONS!

C'EST RÂPÉ POUR LE SHOPPING, MAIS J'AI RÉSERVÉ SUR BEACH STREET... ÇA NE T'ENNUIE PAS DE MANGER CHINOIS?

TOUT CE QUE TU VOUDRAS!

EEEEEE!

CRAAASH!

NON MAIS ÇA VA PAS, LA TÊTE? VOUS VOUS CROYEZ AUX 24 HEURES DU MANS?!?

ELLE EST BIEN BONNE, CELLE LÀ! C'EST ELLE QUI A DÉBOÎTÉ SANS CLIGNOTANT!!

N'IMPORTE QUOI!!

VOUS DÉBOULEZ À FOND LA CAISSE COMME UN MATAMORE!!!

LAISSE TOMBER, MATHILDE... IL A RAISON... JE SUIS EN TORT...

VOUS N'ÊTES PAS BLESSÉ, AU MOINS?

NON, MAIS AVEC VOUS DEUX COMME INFIRMIÈRES, JE NE SUIS PAS CONTRE UN PETIT DÉTOUR PAR LES URGENCES!

DÉSOLÉE, NOTRE SOIRÉE EST BOOKÉE!!!

28

AUCUN PROBLÈME ... ALLONS-Y ENSEMBLE ... DANS CE GENRE DE CABRIOLET, ON TIENT FACILEMENT À TROIS !!

JE VOIS !

PROVOQUER DES ACCIDENTS, C'EST VOTRE MÉTHODE POUR DRAGUER, C'EST ÇA ?!

ÉCOUTEZ ... CALMEZ-VOUS TOUS LES DEUX ...

TOUT EST DE MA FAUTE ... JE SUIS VRAIMENT NAVRÉE, MONSIEUR ...

EH BIEN ... JE ...

NON ... NE ... NE VOUS EXCUSEZ PAS ...

AU CONTRAIRE, C'EST MOI QUI DEVRAIS ...

JE VOUS ASSURE QUE ...

QUE ...

JE ...

EH BIEN ...

IL VA PEUT-ÊTRE FALLOIR ... EUH ...

OUI ... NOUS FERIONS MIEUX DE ... EUH ...

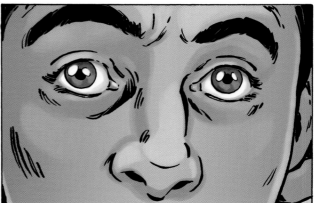

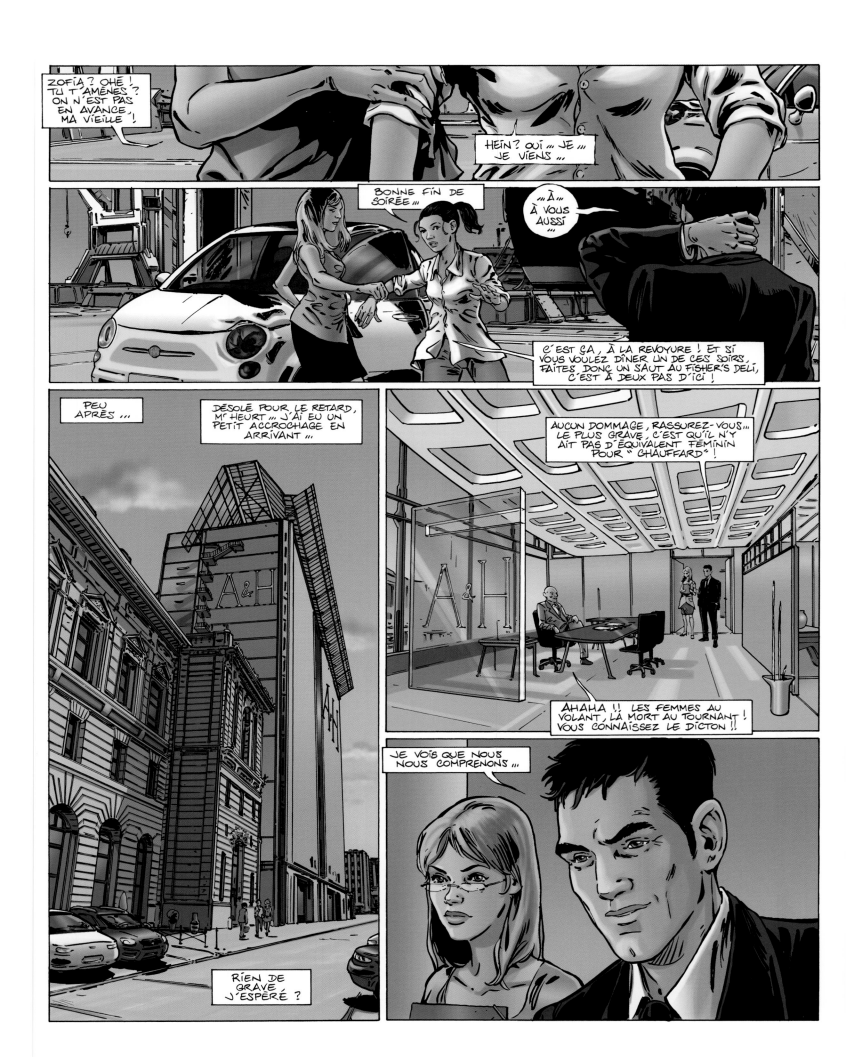

ASSEYEZ-VOUS, JE VOUS EN PRIE ...

MERCI !

C'EST MOI QUI VOUS REMERCIE D'AVOIR PRIS CONTACT AVEC NOUS AUSSI VITE POUR POURVOIR CE POSTE VACANT ...

J'AI PARCOURU VOTRE CV ET VOS LETTRES DE RECOMMANDATION AVEC LA PLUS GRANDE ATTENTION ...

JE NE PENSE PAS VOUS SURPRENDRE EN VOUS DISANT QUE JE FERAIS SANS DOUTE UNE ERREUR SI JE NE DONNAIS UNE SUITE FAVORABLE À VOTRE REQUÊTE !

SUPERBE LITOTE ! DOIS-JE EN DÉDUIRE QUE JE SUIS ENGAGÉ ?

... VOUS NE SEREZ PAS DÉÇU !

VOUS COMMENCEZ DEMAIN !

C'EST UN HONNEUR, Mr HEURT ...

31

33

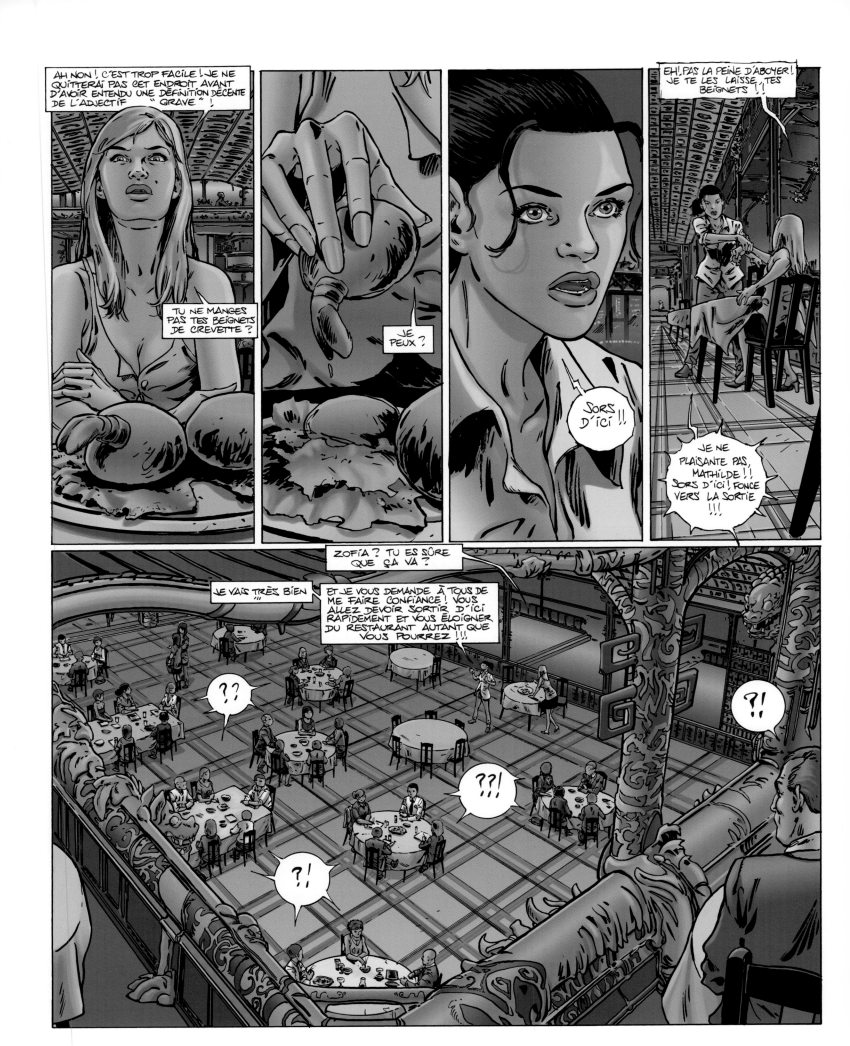

35

38

39

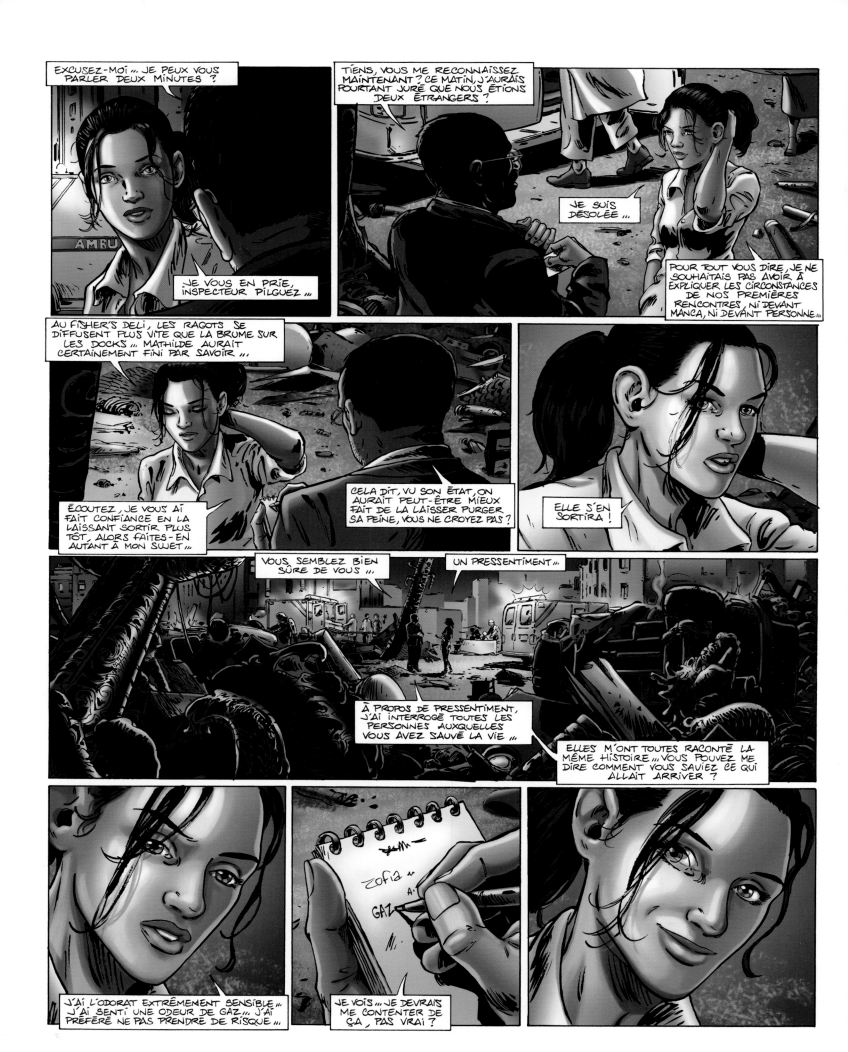

40

ELLE VA S'EN TIRER ?

?!!

OH! C'EST VOUS... VOUS M'AVEZ FAIT PEUR...

DÉSOLÉ...

POUR VOTRE AMIE AUSSI... VOUS PENSEZ QU'ELLE VA S'EN SORTIR ?

JE L'ESPÈRE... COMMENT M'AVEZ-VOUS RETROUVÉE ?

J'AI FAIT UN SAUT AU FISHER'S DELI... LE PATRON M'A RENSEIGNÉ... VOUS VOULEZ UN CAFÉ ?

NON, MERCI, JE NE BOIS PAS DE CAFÉ...

MOI NON PLUS...

VOILÀ AU MOINS UN POINT QUE NOUS AVONS EN COMMUN...

VOUS NOUS CHERCHEZ DES POINTS COMMUNS ?

ÇA VOUS DÉRANGE ?

NON, MAIS JE NE VOIS PAS NON PLUS L'INTÉRÊT...

ALORS CHANGEONS DE SUJET...

FINALEMENT, QUAND ON Y PENSE, VOUS AURIEZ MIEUX FAIT D'ACCEPTER MON INVITATION...

VOUS AU MOINS, ON NE PEUT PAS DIRE QUE VOUS MANQUIEZ DE TACT!

ÇA DEMANDE UN ENTRAÎNEMENT QUOTIDIEN !!

COMMENT VA-T-ELLE, DOCTEUR ?

VOTRE AMIE EST HORS DE DANGER...

L'ARTÈRE N'A PAS ÉTÉ TOUCHÉE. LE SCANNER N'A RÉVÉLÉ AUCUN TRAUMATISME CRÂNIEN, LA COLONNE VERTÉBRALE EST INTACTE.

JE PEUX FAIRE QUELQUE CHOSE ?

À L'HEURE QU'IL EST, ON EST EN TRAIN DE LA PLÂTRER... JE CROIS QUE VOUS NE POUVEZ PLUS RIEN POUR ELLE CE SOIR...

TRÈS BIEN.

ALORS À DEMAIN.

JE CROIS QUE NOUS AVONS MAL COMMENCÉ...

COMMENCÉ QUOI ?

EH BIEN... VOUS... MOI... CET ACCIDENT... CETTE EXPLOSION... NOUS SOMMES PARTIS DU MAUVAIS PIED, NON ?

VOUS NE VOULEZ VRAIMENT PAS QUE NOUS ALLIONS PRENDRE UN JUS D'ORANGE OU UNE BIÈRE QUELQUE PART ?

POURQUOI TENEZ-VOUS TANT QUE ÇA À VOUS DÉSALTÉRER EN MA COMPAGNIE ?

OH !

POUR PLEIN DE RAISONS : PARCE QUE JE VIENS D'ARRIVER EN VILLE, PARCE QUE JE NE CONNAIS PER- SONNE, PARCE QUE JE VIVAIS SEUL À NEW YORK ET QUE JE N'AI PAS LA MOINDRE ENVIE DE REVIVRE ÇA ICI...

QUEL MYSTÉRIEUX PERSONNAGE ...

FONCEUR, FRIMEUR, PROVOCATEUR...

... MAIS TELLEMENT DE CHARME !

QUI PEUT-IL ÊTRE ?

UN NEW-YORKAIS REVENU DE LA SOLITUDE COMME IL L'AFFIRME ?

À MOINS QU'IL NE S'AGISSE TOUT SIMPLEMENT D'UN ANGE VÉRIFICATEUR VENU CONTRÔLER LE BON DÉROULEMENT DE MA MISSION ?

JE SERAI BIENTÔT FIXÉE ...

2ème jour

CETTE DEUXIÈME JOURNÉE AVAIT BIEN COMMENCÉ POUR MOI ...

TRÈS À L'AISE DANS LE RÔLE UN PEU FLOU DE CONSEILLER À LA VICE-PRÉSIDENCE, J'AVAIS RAPIDEMENT TROUVÉ MES MARQUES AU SEIN DE L'EMPIRE A & H, DONT LE SIÈGE SE SITUAIT MARKET STREET, AU NUMÉRO 666 ...

JE M'ÉTAIS ACCLIMATÉ SANS PROBLÈME À CET ENVIRONNEMENT DE VERRE ET D'ACIER, DÉPOURVU DE LA MOINDRE CHALEUR HUMAINE, ET N'AVAIS EU AUCUNE PEINE À ME FAMILIARISER AVEC LE VISAGE DE MES NOUVEAUX COLLÈGUES ...

AVANT 10 HEURES, J'AVAIS MÊME NOUÉ DES LIENS SYMPATHIQUES AVEC L'ASSISTANTE PERSONNELLE D'ANTONIO ANDRIC, UNE SUBLIME CRÉATURE DOTÉE D'UN CHARME DÉVASTATEUR ET DE QUELQUES ATOUTS MAJEURS.

ELLE POSSÉDAIT SURTOUT UNE INDÉNIABLE QUALITÉ : POTINS, BRUITS DE COULOIRS ET RUMEURS CONSTITUAIENT L'ESSENTIEL DE SON ACTIVITÉ.

VERS MIDI, M'ÉTANT STRATÉGIQUEMENT PLACÉ À SES CÔTÉS À LA CAFÉTÉRIA, JE RECUEILLIS UNE FOULE DE RENSEIGNEMENTS QUI ALLAIENT SE RÉVÉLER EXTRÊMEMENT PRÉCIEUX POUR LA SUITE DE MON PROJET.

J'APPRIS ENTRE AUTRE QU'ED HEURT - LE H DE A & H - EXCELLAIT DANS L'ART DE SE PAVANER. IL AIMAIT PARADER D'INTERVIEW EN CONFÉRENCE DE PRESSE ET DE COCKTAIL EN CÉRÉMONIE OFFICIELLE, VANTANT SANS RELÂCHE LES INCOMMENSURABLES CONTRIBUTIONS DE SON ENTREPRISE À L'ESSOR ÉCONOMIQUE DE LA RÉGION.

J'APPRIS AUSSI QU'ANTONIO ANDRIC - LE A DE A & H - DIRIGEAIT D'UNE MAIN DE FER LE RÉSEAU COMMERCIAL QU'IL AVAIT SU MAILLER AU FIL DES ANNÉES ET RÉGNAIT SUR 300 AGENTS ET PRESQUE AUTANT DE JURISTES, COMPTABLES ET ASSISTANTS.

CES INFORMATIONS GLANÉES AU COURS DE CE PASSIONNANT DÉJEUNER ÉTAIENT ÉLOQUENTES ET CONFIRMAIENT LES STATISTIQUES QUE J'AVAIS EU L'OCCASION DE CONSULTER : A & H ÉTAIT LE PLUS GRAND GROUPE IMMOBILIER DE CALIFORNIE ET IL ÉTAIT IMPOSSIBLE DE LOUER, VENDRE OU ACHETER LE MOINDRE IMMEUBLE OU PARCELLE DE TERRAIN DANS TOUTE LA VALLÉE SANS TRAITER AVEC LUI.

A & H ÉTAIT UN MONSTRE, CERTES, MAIS IL AVAIT UN POINT FAIBLE...

MON PLAN ÉTAIT SIMPLE : IL SUFFIRAIT QUE CES DEUX TÊTES SE DISPUTENT LA BARRE POUR QUE LE NAVIRE PARTE À LA DÉRIVE...

... C'ÉTAIT UN MONSTRE À DEUX TÊTES !

DING!!

LES CONSÉQUENCES FERAIENT FIGURE DE SÉISME : LE NAUFRAGE DE L'EMPIRE A & H ATTISERAIT L'APPÉTIT DES GRANDS PROPRIÉTAIRES, ENTRAÎNANT LA DÉSTABILISATION DU MARCHÉ IMMOBILIER DANS UNE RÉGION OÙ LES LOYERS ÉTAIENT LES PILIERS FONDAMENTAUX DE LA VIE ÉCONOMIQUE ...

LES RÉACTIONS DES PLACES FINANCIÈRES NE SE FERAIENT PAS ATTENDRE ...

UN GRAND NOMBRE D'ENTREPRISES NE SURVIVRAIENT PAS À L'AUGMENTATION DE LEURS LOYERS ET À LA BAISSE DE LEURS COTISATIONS.

MÊME EN ÉTANT PESSIMISTE, MES CALCULS LAISSAIENT PRÉVOIR QU'AU MOINS 10 000 PERSONNES PERDRAIENT LEUR EMPLOI ...

... UN CHIFFRE SUFFISANT POUR FAIRE IMPLOSER L'ÉCONOMIE DE TOUTE LA RÉGION ET PROVOQUER LA PLUS BELLE EMBOLIE JAMAIS IMAGINÉE : CELLE DU POUMON DE L'INFORMATIQUE DU MONDE !

LES MILIEUX FINANCIERS N'AYANT D'ÉGALE À LEURS CERTITUDES PASSAGÈRES QUE LEUR FRILOSITÉ PERMANENTE, LES MILLIARDS QUI SE JOUAIENT À WALL STREET SUR LES ENTREPRISES DE HAUTE TECHNOLOGIE SE VOLATILISERAIENT EN QUELQUES SEMAINES, INFLIGEANT UN SUPERBE INFARCTUS AU CŒUR DU PAYS ...

DÉCIDÉMENT, LA MONDIALISATION ÉTAIT COMME LE SOLEIL : UNE MERVEILLEUSE INVENTION !

TIP TIP TIP

VERS 16 HEURES, J'AVAIS SUFFISAMMENT D'ÉLÉMENTS POUR METTRE LE FEU AUX POUDRES. IL SUFFISAIT D'UNE ÉTINCELLE ...

... LE NUMÉRO QUE VOUS AVEZ DEMANDÉ N'EST PAS EN SERVICE ACTUELLEMENT ...

OUI ... TOUT A FAIT

ET FIGUREZ-VOUS QUE CE MATIN MÊME, J'AI ENTENDU ED HEURT EN PERSONNE QUI AFFIRMAIT À UNE RAVISSANTE JOURNALISTE QUE C'ÉTAIT LUI LA TÊTE PENSANTE DU GROUPE ...

?!

... ET QUE SON ASSOCIÉ EN ÉTAIT LES JAMBES !!

PROPAGÉE INSTANTANÉMENT, LA RUMEUR NE MIT PAS PLUS DE DEUX HEURES POUR ATTEINDRE LE 9e ÉTAGE ...

À 18 HEURES PRÉCISES, ANTONIO ANDRIC PÉNÉTRAIT IVRE DE RAGE DANS LE BUREAU DE SON ASSOCIÉ ED HEURT ET RESSORTAIT QUELQUES MINUTES PLUS TARD EN CLAQUANT LA PORTE ET EN HURLANT QUE LES "JAMBES" ALLAIENT SE DÉTENDRE SUR UN TERRAIN DE GOLF ET QUE "LA TÊTE PENSANTE" N'AVAIT QU'À ASSURER À SA PLACE LE COMITÉ MENSUEL DES DIRECTEURS COMMERCIAUX ...

VLAM

TOUT SE PASSAIT À MERVEILLE. JE N'AVAIS PLUS QU'À ATTENDRE QUE L'EMPIRE A & H PARTE EN LAMBEAUX ...

VRAIMENT UNE BELLE, UNE TRÈS BELLE JOURNÉE !

48

VOUS AVEZ DEMANDÉ À ME VOIR, ZOFIA ?

EN EFFET...

IL N'Y A PAS DE BROUILLARD, POURTANT !

NON, C'EST UNE TRÈS BELLE JOURNÉE !

DU MOINS ÇA POURRAIT L'ÊTRE...

J'ÉTAIS EN TRAIN DE CONTRÔLER LA VIGNETTE SANITAIRE DE CE CHARGEMENT... ET JE CONSTATE QUE CETTE PASTILLE A VIRÉ AU NOIR... VOUS SAVEZ CE QUE ÇA SIGNIFIE, MANCA ?

NE ME DÎTES PAS QUE VOUS AVEZ L'INTENTION DE BALANCER UNE TONNE DE CREVETTES À LA POUBELLE ?!!

LA CHAÎNE DU FROID A ÉTÉ ROMPUE... JE SUIS DÉSOLÉE...

TU M'AS BIEN ENTENDU, SAMY! EXÉCUTION!

OK MANCA, C'EST TOI LE PATRON!

ET SI LES POISSONS SONT MALADES AUJOURD'HUI, ZOFIA, VOUS NE POURREZ VOUS EN PRENDRE QU'À VOUS-MÊME!

VOUS ÊTES ADORABLE, MANCA!

PLAAOOUUF

UNE BONNE CHOSE DE FAÎTE!

JE FILE! JE DOIS RÉCUPÉRER MATHILDE À L'HÔPITAL! ELLE SORT AUJOURD'HUI!

TÂCHEZ DE LA RAMENER AU FISHER'S DELI LE PLUS VITE POSSIBLE! QUAND ELLE N'EST PAS LÀ, LES ŒUFS BROUILLÉS ONT UN GOÛT DE PAPIER MÂCHÉ!

JE TRANSMETS L'INFO!!

OH! À PROPOS! J'AI RÉQUISITIONNÉ L'ÉQUIPE DE RÉSERVE POUR UN PETIT BOULOT! J'ESPÈRE QUE ÇA NE VOUS FERA PAS DÉFAUT!!

RHEEUUU RHEEUUU

ZUT DE ZUT!

IMPOSSIBLE DE DÉMARRER CE TAS DE FERRAILLE!!

C'EST TOUJOURS QUAND ON A UNE URGENCE QUE LA MÉCANIQUE VOUS LÂCHE!!

VOUS VOULEZ UN COUP DE MAIN, ZOFIA?

POURQUOI? VOUS AVEZ UN CAP DE MÉCANICIEN, JULES?

NON, MAIS J'AI ENCORE MES DEUX BRAS ET MES DEUX JAMBES... JE PEUX POUSSER!

JE VAIS PLUTÔT APPELER UN TAXI... INUTILE DE VOUS ESQUINTER LA SANTÉ!

TIP TIP TIP!

COMME VOUS VOULEZ...

OUI... SUR LE PORT...

QUAI 80...

À DESTINATION DE L'HÔPITAL... MERCI!

D'AILLEURS, À PROPOS DE JAMBE, LA VÔTRE N'EST PAS EN SI BON ÉTAT QUE VOUS LE PRÉTENDEZ...

SI VOUS NE SOIGNEZ PAS CETTE BLESSURE, LA PLAIE VA S'INFECTER ET LA GANGRÈNE VA S'INSTALLER...

NE VOUS EN FAITES PAS POUR MOI! J'EN AI VU D'AUTRES!

JE ME RENDS À L'HÔPITAL, JULES... FAITES-MOI AU MOINS LE PLAISIR DE M'Y ACCOMPAGNER!

N'INSISTEZ PAS, ZOFIA! MON CORPS EST MA DERNIÈRE PROPRIÉTÉ! JE NE VEUX PAS LE LIVRER AU BISTOURI D'UN CHARCUTIER!!

53

LE BIEN NE SE CALCULE PAS ... IL NE SE RACONTE PAS SANS PERDRE AUSSITÔT SON SENS ...

TOUT CE QUE VOUS DITES EST VRAI, JULES ... MAIS ÇA NE M'AIDE PAS ... QUE FERIEZ-VOUS CONCRÈTEMENT POUR ACCOMPLIR LE "TRÈS BIEN" ?

JE FERAIS EXACTEMENT CE QUE VOUS FAITES À LONGUEUR DE TEMPS DEPUIS QUE JE VOUS CONNAIS ! JE DONNERAIS À TOUS CEUX QUE JE CÔTOIE L'ESPOIR DE TOUS LES POSSIBLES !

VOUS AVEZ CRÉÉ LE VACCIN CONTRE " L'INSTANT DE MAL-ÊTRE" ET VOUS VOUS APPLIQUEZ À EN FAIRE PROFITER VOTRE ENTOURAGE ... C'EST UNE MERVEILLEUSE INVENTION ! VOUS DEVRIEZ LA FAIRE BREVETER !!

SI TOUT LE MONDE EN FAISAIT AUTANT - OFFRIR UN SOURIRE NE SERAIT-CE QU'UNE FOIS PAR JOUR- ALORS LE BONHEUR DEVIENDRAIT CONTAGIEUX ...

... ET CELA CHANGERAIT DÉFINITIVEMENT LA FACE DU MONDE !

J'AJOUTERAIS UNE DERNIÈRE CHOSE : QUELLES QUE SOIENT LES QUESTIONS QUE VOUS VOUS POSEZ, FIEZ-VOUS À VOTRE INSTINCT ET NE DÉVIEZ PAS D'UN MILLIMÈTRE DE LA VOIE QUE VOUS VOUS ÊTES TRACÉE ...

JE PEUX VOUS DEMANDER UNE DERNIÈRE CHOSE, JULES ?

MA FOI ... PUISQUE VOUS ÊTES DÉCIDÉE À ME CUISINER ...

QUE FAISIEZ-VOUS AVANT DE VIVRE ICI ?

TOUT EST ARRANGÉ, MATHILDE ! TU PASSERAS TA CONVALESCENCE À LA MAISON ...

TON APPARTEMENT N'A QUE DEUX PIÈCES, ZOFIA !

SAN F
HOSP
← D-

C'EST PLUS QU'IL N'EN FAUT ! JE DORMIRAI DANS LE SALON !

JE NE SUIS PAS D'ACCORD !!!

ON NE TE DEMANDE PAS TON AVIS. LE MALADE A TOUJOURS TORT.

WAH ! MAGNIFIQUE ASSORTIMENT !

N'EST-CE PAS ? ON DIRAIT QUE TU AS UN ADMIRATEUR SECRET !

MOI ?! COMMENT ÇA ?!!

EH BIEN ... JE M'APPRÊTAIS À LIRE LE PETIT MOT QUI ACCOMPAGNE CE SPLENDIDE BOUQUET LORSQUE JE ME SUIS APERÇUE QUE CE N'ÉTAIT PAS MON PRÉNOM QUI ÉTAIT INSCRIT SUR L'ENVELOPPE, MAIS LE TIEN !!

ZOFIA

C'EST INCOMPRÉHENSIBLE ET ... TELLEMENT INDÉLICAT !!

JE NE TE LE FAIS PAS DIRE ! À MON AVIS, TON ADMIRATEUR IGNORAIT L'ADRESSE DE TON DOMICILE, MAIS IL SAVAIT QUE JE ME TROUVAIS ICI ET IL SAVAIT AUSSI QUE TU NE TARDERAIS PAS À ME REJOINDRE !

INDÉLICAT MAIS PAS DEMEURÉ !

JAMAIS VU ÇA !!

QU'EST-CE QUE ÇA DIT ?

LIS TOI-MÊME !

À mon grand regret, un contre-temps professionnel m'oblige à reporter notre dîner. Pour me faire pardonner, je vous donne rendez-vous à 19 h 30 au bar du Hyatt Embarcadero, où nous prendrons l'apéritif. Soyez-là, votre compagnie m'est indispensable.

Lucas

Hmmm !

ÇA RESSEMBLE À UNE "DÉSINVITATION" À DÎNER ...

ET IL A L'OUTRECUIDANCE DE ME PROPOSER DE PRENDRE L'APÉRO !!

C'EST D'UN SANS-GÊNE !

TU NE VAS PAS T'ABAISSER À Y ALLER, QUAND MÊME ?

BIEN SÛR QUE SI !!

NE SERAIT-CE QUE POUR LUI MONTRER DE QUEL BOIS JE ME CHAUFFE !!!

À TA GUISE !

BON ... SI ON CAUSAIT UN PEU DE MON DÉPART ? J'EN AI PLUS QUE MARRE D'ÊTRE ICI !!

IL N'Y EN A PLUS POUR LONGTEMPS ... ILS NE DEVRAIENT PLUS TARDER ...

QUI ÇA "ILS" ?

CEUX QUI VONT SE CHARGER DE TON TRANSFERT ...

TOC TOC !!

AH ! LES VOILÀ !

56

MANCA! C'EST ZOFIA! JE VIENS D'APPRENDRE POUR L'ACCIDENT... QUE S'EST-IL PASSÉ?

C'EST GOMEZ... IL EST TOMBÉ...

SANS DOUTE UNE ÉCHELLE DÉFECTUEUSE... LE VRAC EN FOND DE CALE A À PEINE AMORTI LE CHOC!

CE QUI EST SÛR C'EST QU'UN CERTAIN NOMBRE DE SES COLLÈGUES SONT EN COLÈRE... L'AMBIANCE EST TENDUE PAR ICI! IL Y A MÊME DES RUMEURS DE DÉBRAYAGE...

JE M'EN VEUX TELLEMENT!

JE N'AURAIS JAMAIS DÛ M'ABSENTER!

ÇA N'AURAIT RIEN CHANGÉ, ZOFIA... CET ACCIDENT A EU LIEU DANS LES ENTRAILLES DU NAVIRE...

VOUS NE POUVEZ PAS SAUVER TOUT LE MONDE EN MÊME TEMPS!

J'EN SUIS BIEN CONSCIENTE...

MA VOITURE EST EN PANNE, JE CHERCHE UN TAXI, MAIS AVEC LES EMBOUTEILLAGES, JE NE SERAI PAS LÀ AVANT UNE PETITE HEURE...

VOTRE PRÉSENCE N'EST PAS INDISPENSABLE, ZOFIA... EN REVANCHE, J'AI ORGANISÉ UNE RÉUNION AVEC LES RESPONSABLES SYNDICAUX VERS 21 HEURES... HISTOIRE DE CALMER UN PEU LE JEU... LÀ, VOUS SEREZ LA BIENVENUE!

J'Y SERAI, MA SOIRÉE VIENT DE SE LIBÉRER!

TAXI!

C'EST AU SIMBAD, VOUS CONNAISSEZ?

JE TROUVERAI...

OK. ALORS À CE SOIR!

À L'EMBARCADERO CENTER, S'IL VOUS PLAIT!

C'EST PARTI!

LE BAR PANORAMIQUE DE L'EMBARCADERO CENTER TOURNAIT LENTEMENT SUR SON AXE.

EN UNE DEMI-HEURE, ON POUVAIT ADMIRER L'ÎLE D'ALCATRAZ À L'EST, LE BAY BRIDGE AU SUD ET, À L'OUEST, LES TOURS DES FAUBOURGS FINANCIERS...

ZOFIA AURAIT MÊME PU ADMIRER LE MAJESTUEUX GOLDEN GATE BRIDGE QUI RELIAIT LES TERRES VERDOYANTES DU PRESIDIO AUX FALAISES TAPISSÉES DE MENTHE SURPLOMBANT SAUSALITO... À CONDITION TOUTEFOIS D'ÊTRE ASSISE FACE À LA VITRE! CE QUI N'ÉTAIT PAS LE CAS, PUISQUE LUCAS OCCUPAIT LA MEILLEURE PLACE...

LES PRIX SONT ABSURDES... MAIS JE LEUR CONCÈDE QUE LA VUE EST EXCEPTIONNELLE!

JE VOUS CROIS SUR PAROLE...

VOICI VOS COCKTAILS...

MERCI...

C'EST PAS TROP TÔT!!

POURQUOI VOUS SENTEZ-VOUS OBLIGÉ D'ÊTRE DÉSAGRÉABLE AVEC TOUT LE MONDE? IL NE VOUS A RIEN FAIT, CE GARÇON!!

CE N'EST PAS UNE RAISON! VU LES TARIFS QU'ILS PRATIQUENT ICI, ON EST EN DROIT DE SE MONTRER EXIGEANT, NON?!

CLAC

TIENS ! VOUS N'AVEZ PAS LA MÊME VOITURE QU'HIER ?

J'AI HORREUR DE ME DÉPLACER DANS UNE VOITURE ENDOMMAGÉE... JE M'EN SUIS DÉBARRASSÉE !!

ELLE N'A PAS QUE DES DÉFAUTS !!

EH !

IL PARAÎT MÊME QU'ILS LA REFONT EN 24 HEURES !!!

QU'EST-CE QUE V'///

VOUS EXAGÉREZ !

ET VOUS, VOUS ÊTES IMPOSSIBLE !

JE REJOINDRAI LA STATION DE TAXI À PIED !!

?!

ATTENDEZ !!!

JE SUIS PRESSÉE !

ÉCOUTEZ ... J'AI PASSÉ UN MOMENT DIVIN EN VOTRE COMPAGNIE ...

C'EST POSSIBLE, MAIS VOUS L'AVEZ GÂCHÉ ! À PRÉSENT, J'AI À FAIRE ... JE DOIS M'EN ALLER !!

LAISSEZ-MOI UNE CHANCE ! ACCEPTEZ UN AUTRE DÎNER !

S'IL VOUS PLAÎT ...

OK. UN DÉJEUNER.

DEMAIN ?!

DEMAIN ...

VOUS VERREZ ! VOUS NE LE REGRETTEREZ PAS ! IL NE FAUT PAS JUGER LES GENS SUR UNE PREMIÈRE IMPRESSION !!

UNE HEURE PLUS TARD, AU SIMBAD ...

MÊME AVEC VOTRE SOUTIEN, LES DOCKERS NE TIENDRONT PAS PLUS D'UNE SEMAINE SANS SALAIRE !!

MANCA A RAISON ... SI L'ACTIVITÉ S'ARRÊTE, LES CARGOS N'AURONT QU'À S'AMARRER DE L'AUTRE CÔTÉ DE LA BAIE ... LA CONCURRENCE SERA PLUS VIVE QUE JAMAIS !!

C'EST LA MORT DES DOCKS QUE VOUS ÊTES EN TRAIN DE PROGRAMMER !

VOUS EXAGÉREZ !!

PAS DU TOUT ! UN NOUVEAU BLOCUS RISQUE D'ENTRAÎNER LE DÉPART DES ENTREPRISES DE FRÊT ! L'APPÉTIT DES PROMOTEURS EST DÉJÀ SUFFISAMMENT AIGUISÉ SANS QU'ON AIT BESOIN DE LEUR OFFRIR LE PORT DE COMMERCE SUR UN PLATEAU !

C'EST ARRIVÉ À NEW YORK ET BALTIMORE ! ÇA PEUT NOUS ARRIVER ICI !!

ET SI LES QUAIS MARCHANDS FERMENT LEURS PORTES, AU CHÔMAGE DES DOCKERS S'AJOUTERONT LES FLOTS DE CAMIONS QUI ENGORGERONT LES ACCÈS DE LA PRESQU'ÎLE ...

LES GENS DEVRONT QUITTER LEUR DOMICILE BEAUCOUP PLUS TÔT ET RENTRER CHEZ EUX ENCORE PLUS TARD ...

IL NE FAUDRA PAS SIX MOIS AVANT QUE LA MAJORITÉ SE RÉSIGNE À MIGRER AU SUD !!

OÙ EN ÉTIONS-NOUS ?

VOUS NOUS PARLIEZ DE PAPILLONS !

QUI ÉTAIT-CE ?

UNE AMIE ...

JE ME MÊLE SANS DOUTE DE CE QUI NE ME REGARDE PAS MAIS CETTE JEUNE FEMME AVAIT L'AIR DE TOUT SAUF D'UNE AMIE ...

EN EFFET !

VOUS VOUS MÊLEZ DE CE QUI NE VOUS REGARDE PAS !

SI NOUS EN REVENIONS PLUTÔT À A & H ?

J'ALLAIS VOUS EN PRIER ...

SAVEZ-VOUS QUE LA COMPAGNIE DOIT SON FORMIDABLE ESSOR À ED HEURT ?

SA MODESTIE LÉGENDAIRE LUI IMPOSE DE SE SATISFAIRE DU TITRE DE NUMÉRO DEUX, MAIS LA VRAIE TÊTE PENSANTE DU BINÔME, C'EST LUI !

VOUS M'EN DIREZ TANT !

ÉVIDEMMENT, MA CHÈRE, TOUT CE QUE JE VOUS RACONTE LÀ EST STRICTEMENT CONFIDENTIEL ...

ET JE VOUS DEMANDERAI DE NE PAS PRENDRE EN COMPTE MES CONSIDÉRATIONS PERSONNELLES POUR ÉTAYER VOTRE ARTICLE !

VOULEZ-VOUS QU'ON AILLE FINIR LA SOIRÉE AILLEURS ?

MAIS ... NOUS N'AVONS PAS ENCORE COMMANDÉ ...

C'EST L'ÉVIDENCE, VOYONS ...

AU DIABLE LES DÎNERS !!

GARDEZ LA MONNAIE !

MERCI ! BONNE NUIT !

TOUTE LA SOIRÉE, EN DÉBITANT MES SORNETTES À MA PULPEUSE INVITÉE, JE N'AVAIS CESSÉ DE REPENSER À LA THÉORIE DU BATTEMENT D'AILE DU PAPILLON ...

J'ALLAIS M'APPLIQUER À LUI OFFRIR UNE RÉALITÉ TOUT EN DÉMONTRANT QUE SON PRINCIPE POUVAIT PARFAITEMENT S'APPLIQUER À L'ÉCONOMIE ...

A&H SERAIT MON PAPILLON ... ET LE CHAOS BOURSIER QUI EN RÉSULTERAIT SERAIT MON CYCLONE ...

LE FROISSEMENT D'AILE ÉTAIT LA CRISE QUI N'ALLAIT PAS TARDER À S'INSTALLER ENTRE LES DEUX ASSOCIÉS ...

QUANT À CE MALENCONTREUX INCIDENT QUI AVAIT EU LIEU AU FOND D'UNE CALE CRASSEUSE ET QUI ÉTAIT SUR LE POINT DE DÉCLENCHER UNE GRÈVE GÉNÉRALE, CELA M'AVAIT DONNÉ UNE IDÉE GÉNIALE ...

JE TENAIS ENFIN LA PIÈCE DE VIANDE FRAÎCHE QUE J'ALLAIS LIVRER EN PÂTURE AU FURIEUX APPÉTIT D'A&H : LES DOCKS !!

CETTE SECONDE JOURNÉE AVAIT FORT BIEN DÉMARRÉ POUR MOI, VRAIMENT ...

... ET, MA FOI, ELLE S'ACHEVAIT FORMIDABLEMENT !!

FIN DE LA PREMIÈRE PARTIE ...

CORBEYRAN - ESPÉ -

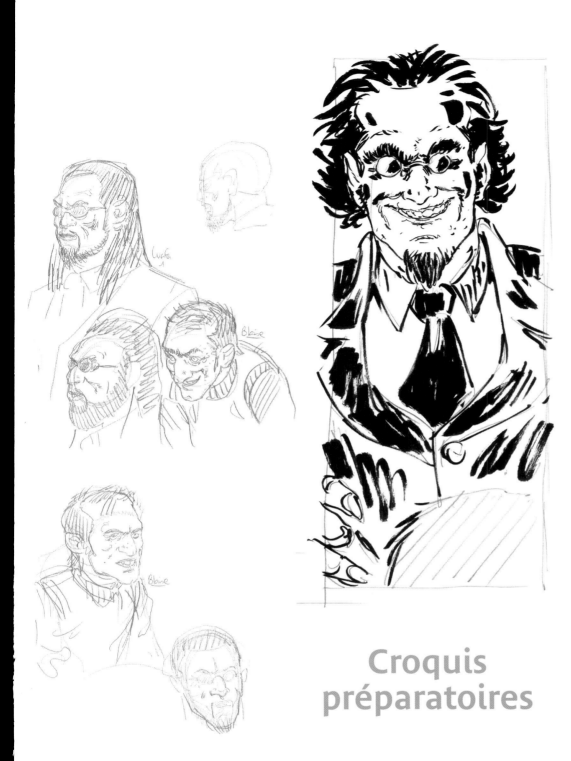

Croquis préparatoires

Comment représenter le diable ? Une question à laquelle il n'est pas facile de répondre... Une mission particulièrement difficile pour Espé, le dessinateur, qui s'est appliqué à dépoussiérer l'image traditionnelle du Prince des Ténèbres. Après plusieurs tâtonnements, son diable fait l'unanimité (en haut au centre).

L'illustration pour la couverture représente un travail particulier dans l'élaboration d'une BD. Une seule image pour suggérer un état d'esprit et transmettre une émotion. Toutes les (bonnes) idées sont les bienvenues… En haut, une couverture classique, sans décor, qui isole les deux protagonistes (Zofia à l'avant-plan, Lucas en retrait). En dessous, une couverture plus fantaisie : Lucas et Zofia dos à dos après l'explosion du restaurant chinois. Ni l'une ni l'autre ne seront retenues pour être finalisées.

0

Le crayonné est une étape décisive dans l'élaboration d'une page de BD. Ici, la planche 50. Les bulles n'ont pas encore été placées et les décors ne sont pas finalisés, mais les personnages sont déjà très expressifs.

Planche 31, avant l'encrage. Les bulles sont placées et calibrées.
Il reste à affiner certains détails, mais si on la compare à la planche définitive, tout est déjà en place.

Un personnage doit habiter « physiquement » son rôle. Le casting est donc une étape importante avant de se lancer dans la réalisation des planches. On peut ainsi choisir la physionomie qui correspond le mieux au caractère du personnage.
En haut : recherche de visages pour l'inspecteur Pilguez.
En bas : une première version de Lucas, le premier rôle masculin du récit.

En haut, l'un des personnages féminins les plus touchants créés par Marc Levy : Zofia.
Son visage doit exprimer la douceur et la bienveillance d'un ange.
Quelques noms d'actrices sont évoqués, dont l'un revient souvent : Audrey Hepburn.
Ci-dessus : recherche de coiffure pour Mathilde, l'amie de Zofia. On optera pour les cheveux longs.

Le crayonné de la planche 40. Un démon digne de ce nom ne doit négliger aucune arme,
mais la séduction fait aussi partie de l'arsenal de l'ange.

Le crayonné de la planche 25. Cette page est l'un des tournants de l'histoire : après un accrochage
sans gravité entre les deux véhicules, Zofia et Lucas se rencontrent. C'est le coup de foudre !

Une autre série de recherches pour le personnage de Lucas, mais toujours le même objectif :
rendre sympathique le meilleur agent du diable !